D0526993

Les Éditions du Boréal
4447, rue Saint-Denis
Montréal (Québec) H2J 2L2
www.editionsboreal.qc.ca

STUPEURS
ET AUTRES ÉCRITS

DU MÊME AUTEUR

AUX ÉDITIONS DU BORÉAL

ROMANS

À voix basse
Les Choses d'un jour
Courir à sa perte
La Fleur aux dents
La Fuite immobile
Les Maladresses du cœur
Parlons de moi
Les Pins parasols
Les Rives prochaines
Le Tendre Matin
La Vie à trois
Le Voyageur distrait
Un homme plein d'enfance

NOUVELLES

Comme une panthère noire
De si douces dérives
Enfances lointaines
L'Obsédante Obèse et autres agressions
L'Ombre légère
Tu ne me dis jamais que je suis belle

RÉCIT

Un après-midi de septembre

CHRONIQUES

Chroniques matinales
Dernières Chroniques matinales
Nouvelles Chroniques matinales
Les Plaisirs de la mélancolie
Le Regard oblique

CHEZ D'AUTRES ÉDITEURS

Le Tricycle suivi de *Bud Cole Blues,* textes dramatiques
Une suprême discrétion, roman

Gilles Archambault

STUPEURS

ET AUTRES ÉCRITS

Boréal

Les Éditions du Boréal reconnaissent l'aide financière du gouvernement du Canada par l'entremise du Programme d'aide au développement de l'industrie de l'édition (PADIÉ) pour ses activités d'édition et remercient le Conseil des Arts du Canada pour son soutien financier.

Les Éditions du Boréal sont inscrites au Programme d'aide aux entreprises du livre et de l'édition spécialisée de la SODEC et bénéficient du Programme de crédit d'impôt pour l'édition de livres du gouvernement du Québec.

Couverture : François-Xavier Marange, *Toujours demain I*, 2002, Galerie Eric Devlin.

Dépôt légal : 3e trimestre 2007
Bibliothèque et Archives nationales du Québec

Diffusion au Canada : Dimedia
Diffusion et distribution en Europe : Volumen

Catalogage avant publication de Bibliothèque et Archives nationales du Québec et Bibliothèque et Archives Canada

Archambault, Gilles, 1933-

Stupeurs et autres écrits
(Boréal compact ; 190)
Éd. originale : [Montréal] : Éditions du Sentier, 1979.

ISBN 978-2-7646-0543-1

I. Titre.

PS8501.R35S78 2007 C848'.5408 C2007-941685-3
PS9501.R35S78 2007

Stupeurs

Je suis persuadé qu'on rencontre sa mort durant la vie. Mais on ne la reconnaît pas. À peine risque-t-on d'en sentir le frisson. Souvent dans le regard d'autrui.

GEORGES PERROS

Râles

N'entendez-vous jamais ces respirations haletantes, ces râles, lorsque vous marchez dans la rue ? Sans doute êtes-vous trop occupé pour percevoir les plaintes des hommes qui s'enlisent dans la douleur. En m'y efforçant, je le confesse, j'entends à peine les cris exaspérés de quelque nouveau-né. Dites, qui pourra frémir à l'écoute de mon hésitant murmure ?

Méprise

Un homme est entré chez vous sans s'annoncer. Pourquoi aurait-il frappé ? Il suffisait de tourner la clef dans la serrure. Ayant embrassé votre femme et caressé vos enfants, il vous a sommé de vous asseoir à la fenêtre. Bientôt viendra le temps où vous deviendrez une ombre. La porte s'ouvre.

Gens bien-portants

Enfin, le troisième palier. S'arrêter pour souffler un peu. Murs lézardés. De l'étage supérieur lui parvient un air doucereux. L'ami qui chantait et dont les yeux s'animaient pour un rien. Combien de marches encore ? Et puisqu'il est question de bonheur, d'exubérance même, pourquoi ne rencontrerait-elle pas une jeune femme épanouie tenant par la main une ravissante petite fille ? Haine.

Père

Père, tu te souviens de cette peur que tu lisais dans mes yeux ? Peut-être en étais-tu toi-même effaré. Comment expliquer autrement tes colères subites ? Maintenant que ton corps ne s'épuise plus en des luttes toujours plus vaines, que je peux prononcer ton nom sans craindre que tu n'apparaisses soudainement, permets que je te parle à voix basse d'une paix à toi aussi inconnue. Nous n'étions pas faits pour la sérénité, père, mais nous l'ignorions, occupés que nous étions à nous épier.

Mendiants

Ils nous tendent la main avec des regards parfois implorants. En échange de la moindre pièce, ils affirmeraient que la vie est bonne à vivre, que l'éternité la couronnera, que nous méritons cette félicité. Nous les croyons sur parole, voulant fuir au plus tôt leur servilité. Qu'il était doux le temps des brigants sanguinaires qui vous égorgeaient pour un liard !

Interrogatoire

Pourquoi tes yeux me suivent-ils sans relâche ? Aurais-je ajouté aux déceptions que tu as accumulées ? Depuis quand ai-je cessé d'être pour toi le consolateur ? Les vieillards que nous sommes ont-ils encore le loisir de songer à ce qui aurait pu être ? Je te laisse les regrets, amie, j'ai toujours su que la tiédeur seule nous convenait. Et toi ?

L'amie

Aucune parole ne m'émouvait autant que le récit de ton enfance. Toutes ces questions que je te posais pour mieux t'imaginer en robe blanche, le regard apeuré. Maintenant, c'est à peine si je retiens ton nom. Les jours de grande paix, ton sourire se dessine dans mon souvenir. Pourtant je poursuis, inlassable, une conversation avec toi. J'entremêle tant de rêves. Qui parle, est-ce toi, est-ce moi ou quelqu'un d'autre qui me répète sans cesse que nous devions mourir ensemble ?

Clarté

Seul. Ne plus avoir à camoufler ma sérénité devant des angoissés qui me harcèlent de leur besoin de promiscuité. Jouir jusqu'à ma mort de cet instant de vide absolu.

Projets

Trois amis très chers ont la témérité de parler d'avenir. Écoutez-les évoquer leurs espoirs raisonnables, presque dérisoires dans ce monde de grandioses réalisations. Autour d'eux, ne se livre-t-on pas à de vastes entreprises dont peu de contemporains verront la fin ? S'ils sont si tristes au terme de cette après-midi exaltante, n'est-ce pas parce qu'ils savent que trop d'années les séparent et que la mort ne les guette pas avec la même intensité ? Pourtant leur cadet a parfois d'étranges étourdissements.

La joie

Vous souvenez-vous, mère, comme nous étions heureux ? Vos frères chantaient, les rires de vos sœurs couvraient les clameurs de votre mari. Nous, les enfants, n'avions d'yeux que pour le bonheur. Peut-être n'avions-nous pas raison de croire à tant de joie. Pourquoi la maison délabrée sous les arbres aurait-elle échappé à l'ennui et à la méchanceté ?

Promesses

Nous nous étions promis une amitié indéfectible. Toujours nous nous souviendrions du désarroi de l'autre. Désormais je ne compte plus que sur le temps qui gomme tout. Parfois je me souviens de ces premiers tressaillements qui nous rendaient si émouvants.

Les vieux

Un jour, il faudra bien que je me joigne à vous, pauvres vieillards. J'espère pouvoir encore vous trouver pitoyables. Gardez votre prétendue sagesse, vos ridicules assurances. Mes joues parcheminées, ma bouche édentée, non, je ne les exhiberai pas devant d'indécentes jeunes personnes qui n'auront même pas honte de leur éclatante beauté.

Bientôt

Bientôt, tu atteindras cet âge qu'elle avait à sa mort. Petit à petit, tu t'adresseras à elle comme à une cadette. Tu la ménageras sans aucun doute, te retenant de l'informer de tes états d'âme. Elle ne sera pas morte pour apprendre les détails de ta profonde désintégration.

Échec

Lorsque l'émerveillement de l'aube devint de plus en plus éphémère, il s'installa dans l'idée de la mort et vécut son angoisse avec une inquiète volupté. Ne lui manqua plus que le sentiment d'être tout à fait pathétique.

Foules

Leurs mains se joignent avec frénésie. Pourvu qu'on ne leur donne pas d'armes. Ils crient leur enthousiasme. Pourvu qu'on ne leur rappelle pas les chants guerriers de leurs pères. Leur visage s'illumine aux chants d'amour. Pourvu qu'ils continuent d'oublier leur détresse.

Labyrinthe

Ne me suis pas dans cette noirceur. Vois-tu encore ces lueurs que je percevais jadis ? N'ayant même plus le souvenir de l'espoir, je touche ces murs froids et crayeux. Au loin m'apparaît le trou béant de notre amour.

Amours

Des clochards, il en avait vu partout. D'où venait qu'il fût si bouleversé de croiser ce couple qui arpentait le boulevard, en chantant? N'était-ce vraiment que parce que l'homme enserrait la femme? Comme s'il avait été interdit à une loque avinée de suivre pour une fois la loi commune et de dire: « je t'aime ».

Le passé

Quand bien même tu reprendrais, instant après instant, les moindres événements de ta vie, croyant t'arrêter de vivre, et qu'ainsi soit suspendue la course folle, non, jamais tu ne parviendras à connaître l'immense espoir qui te visita, un soir de décembre. Les femmes que tu as cru aimer (mais que sont ces vieilles édentées qui s'esclaffent en te voyant passer ?) ne sont plus qu'une adolescente perverse qui soulève ses jupes et donne le bras à un danseur de tango.

Le vieux couple

Ce n'est pas à nous, ma douce, que l'on dira que la vie n'est ni absurde ni pathétique. Nous sommes-nous assez querellés ? Comme si nous avions aimé par-dessus tout les retrouvailles. Quand nous saurons que l'heure est venue, nous devrions choisir de périr ensemble en ultime hommage à la pitoyable fête à laquelle nous avons convié nos enfants.

Solitude

Vint un moment où il cessa de croire à sa seule solitude. Méritaient-ils tant d'hostilité, ceux qui, dissimulant leur désarroi, affirmaient vivre de beaux jours ? Était-ce vraiment leur faute si l'angoisse en eux prenait la forme du sourire ?

Le refuge

Tu pourrais te laisser croupir dans cette retraite. Le monde apprend à se passer de toi. Tu as tellement voyagé dans tes rêves que tes propos n'intéresseraient plus personne. Où en sont-ils, ceux que tu appelais jadis tes frères ? Par quelles lubies sont-ils maintenant habités ? Quoi qu'ils fassent, ils ne te convaincront jamais de te joindre à eux. Trop exigu est leur tombeau.

Toute-puissance

Quand elle se penchait vers lui, elle affirmait qu'il la protégeait du désespoir. Maintenant qu'elle s'est enfuie, que lui reste-t-il de cette toute-puissance qui mettait un intervalle avant la mort ?

Le petit garçon

Attendez, ne parlez plus. Cet enfant qui me sourit. Je suis ému. Comme il ressemble à la photo qui ne quitte pas la table de chevet de ma mère. Je lui rends son sourire, mais je sais que déjà il regarde très loin et que je ne parviendrai jamais à suivre son regard.

Une langue étrangère

Vous marchez dans la ville lointaine, surpris d'entendre ces accents gutturaux qui vous agressent. Ce sont des frères pourtant, ceux qui pour exprimer leur joie utilisent une langue pour vous offensante. Aux moments les plus exaltants de votre vie, n'avez-vous pas employé des mots tout aussi étrangers à ceux qui ne se doutaient pas de la profondeur de votre amour ?

La bien-aimée

Avait-il jamais su la couleur de ses cheveux? Sa beauté, il l'avait vue dans le regard des hommes. Certains jours de bonheur, il lui était arrivé de pleurer brièvement. Était-ce à cause de l'enfuie qu'il se levait chaque matin dans un fracas de caisses et de cageots? Il ne s'en souvenait plus.

Travesti

Chaque soir, tel un chat, il quittait sa chambre sans bruit. Sachant se mouiller les cils et s'épiler les aisselles avec l'art le plus délicat, il dansait à ravir aux bras d'hommes parfois épris. Un jour pourtant, il ne lui fut plus possible de dissimuler ses rides de douairière. À la maison de retraite, il ne comprit pas qu'il dût être entouré de tant de vieillards. Qu'avait-il en commun avec ces loques qui savaient percer les masques de fard, qui ne se résignaient plus à aimer ?

Le voyageur

Un jour, il partit pour voir le monde. Il avait cet air inquiet que camouflait mal sa bravade. Sa mère geignait, un vieillard maugréait. Tant d'années plus tard, très las, il s'est arrêté dans une ville proche du lieu de sa naissance. Parfois, l'automne, il a la nostalgie de son enfance, mais il craint d'affronter les ombres vindicatives qui peuplent le vieux quartier.

La maison

Tout y est si calme. Parfois, le soir, on aperçoit un vieillard qui songe à l'horreur de vivre. Le regard quitte alors la fenêtre de la chambre pour s'attacher à l'architecture tout à fait remarquable de cette maison centenaire.

Souvenirs

Te souviens-tu, amie, des oiseaux qui chantaient, le matin de cette première nuit ? Silencieuse est l'aube aujourd'hui. Y a-t-il déjà eu des oiseaux en ce pays ?

Le lit

Devant le lit vide, il ne songe plus qu'à la rupture inévitable. Tant de matins à se reconnaître, les sentiers de l'habitude parcourus dans la somnolence, les étreintes qu'on a crues définitives. Ce corps redeviendra étranger, la porte s'ouvrira devant une femme déjà morte qui sourira en pure perte.

En ce temps-là

Maintenant que j'ai perdu jusqu'au désir d'aimer, je me souviens à peine de l'adolescent qui craignait de vieillir. Parfois nous nous disons quelques mots dans le noir. Mais peut-il croire que j'en sois rendu là ?

Désespoir

Vous croyez qu'il vous demandera une cigarette ou qu'il réclamera qu'on renouvelle les consommations, mais il réussit à peine à glisser, en jouant avec sa cravate, qu'il s'enlèvera la vie avant l'aube. Une envie de fuir vous prend soudainement que vous ne réprimez pas. Comme si vous craigniez de le détourner de son projet.

La mort

Il s'était souvent demandé comment il mourrait. Le médecin venait de quitter la chambre sur la pointe des pieds, une infirmière se penchait sur lui. La femme aux cheveux gris qui essuyait ses larmes n'était plus qu'un parfum. Il ressentit l'envie d'éternuer, urina un peu malgré lui et chercha un prénom, qu'il ne trouva pas.

Nous

Hier, ma femme a pris l'avion pour une ville dont elle ne m'a pas dit le nom. Mon fils a claqué la porte tout à l'heure en me maudissant. Un inconnu qui passait devant ma maison a entraîné mon chien. Pourtant il m'arrive encore, par habitude, de dire : « nous ».

Le temps

Depuis que tes doigts sur ma main se crispaient — tes yeux alors — il s'est passé tellement de temps que j'ai oublié qui nous sommes. Des inconnus successifs se sont substitués à nous, mais j'aime toujours l'ombre de ton ombre.

Ami

Comment es-tu ? Dans cette course inutile, n'as-tu point trop de mal ? L'autre jour, tu m'as parlé d'une femme retrouvée. Tendres, attentifs l'un pour l'autre, apaisés, vous vous protégez contre l'envahisseur. Il fait nuit maintenant et le chat qui dort à mes côtés me fait presque oublier la catastrophe imminente. Je pense vraiment que j'aurais la force de vous regarder.

Le maître

Le maître a convoqué le père. Derrière la porte, l'enfant ne perçoit que des éclats de voix. Que peuvent-ils raconter sinon que tout le terrorise ? Ils se sont tus soudainement. Les rideaux battent au vent et une femme s'évanouit.

Vous étiez là ?

Ainsi donc vous l'avez vue mourir ? Vous avez pu vous approcher d'elle, comprendre ces mots qu'elle murmurait dans son agonie ? Vous avez su que c'était moi qu'elle revoyait pendant que ses yeux se durcissaient et que s'échappaient de sa bouche crispée de douleur tant de furieuses onomatopées ?

Leurs pas

Leurs pas martèlent l'asphalte de l'allée avec une belle uniformité. Par moments, on dirait un mouvement de troupe. Puis les fureurs guerrières s'estompent. Pourvu qu'ils ne descendent pas dans le réduit où vous êtes tapi depuis tant d'années, pourvu qu'ils ne viennent pas vous rappeler que le temps bondit sur vous, pourvu qu'ils ne viennent pas vous aimer.

Le complice

Un ami vous aborde dans la rue. Ses yeux n'ont plus cette inquiétude rassurante. Aurait-il cessé d'être tourmenté ? Pourrait-il seulement vous appeler en larmes au petit matin ? Finiriez-vous donc par être seul à vous demander où vous conduisent les chemins de la vie, le seul à affirmer toutes les nuits que l'espoir est un leurre ? Vous songez alors à une douleur ancienne qu'il s'agirait tout juste d'évoquer pour que réapparaisse le masque troublé.

Dimanche

Parfois le dimanche il reçoit la visite de son fils, l'écrivain. Il évoque alors des jours lointains. Son visage s'illumine. Il ne voit pas cet œil narquois qui l'observe en toute méchanceté.

L'exclu

Quitter la maison paternelle, telle était l'aventure. De toute évidence on aurait préféré que la porte reste fermée et que la forteresse paraisse inexpugnable. Pourquoi fallait-il que le fils, bravant ainsi la consigne, se dirige d'un pas assuré vers la sortie? Pourquoi avoir humilié l'autorité paternelle, puisque depuis si longtemps il ne s'évade même plus de la chambre solitaire?

Hargne

Après toutes ces années, il ne me reste de nous que le souvenir rongé d'amertume d'une main qui me frôle. Une lèvre aussi tressaillait. Ah ! tu peux bien vitupérer contre cette loque que tu côtoies à longueur de journée. Ta hargne même n'effacera pas les traces de cet amour qui exista.

Le vieil écrivain

Ainsi donc, il s'est levé, ce matin. Avec d'infimes précautions il a revêtu une robe de chambre trouée. Glissant ses pas le long de l'étroit corridor, il se rendra jusqu'à sa table de travail. Ses doigts déformés s'empareront d'un bout de crayon. Mais que racontera-t-il donc aux hommes qu'ils ne sachent déjà ? Une nouvelle race est apparue qui répand à la ronde tant d'idées et de sensations nouvelles. Sûrement ferait-il mieux de rester au lit et de refuser toute nourriture.

Les enfants

À les voir, à les entendre, on ne dirait vraiment pas que... Ils ne savent pas. Ils croient que toujours... Les souffrances qu'ils nous causent. Les joies qu'ils nous apportent sont éphémères. Vous avez remarqué leur impudence ? Ils savent bien qu'ils nous conduiront à notre mort. Et ceux qui n'ont pas cette morgue dans le regard semblent nous supplier. Comme si nous pouvions leur indiquer un chemin de traverse. Alors nous préférons ces rires de crécelle qui nous détruisent à jamais.

L'inaccessible

Le vieillard refusait d'escalader la colline pourtant minuscule. Des jeunes gens avaient beau l'assurer que la vue de là-haut était superbe et que la montée serait ponctuée de plusieurs haltes, rien n'y faisait. Si on le pressait, il finissait par admettre que la frondaison qui masquait le sentier lui rappelait le cimetière de son village.

Suicide

On le félicite de sa bonne mine. Alors ces projets de suicide, terminés ? Ils ne savent donc pas qu'il poursuit sa lente et absurde agonie ?

Les bêtes

Ce chien qui aboie sans arrêt ! Si un mur ne vous séparait pas de lui ; si vous aviez un fusil à longue portée ; si vous aviez la clef de l'appartement où l'a enfermé son maître, est-ce que vous ne laisseriez pas par mégarde la porte ouverte derrière vous ? Mais alors ne risqueriez-vous pas que la bête s'attache à vos pas, qu'elle vous reconnaisse comme son inséparable dominateur ? Et vous frémissez à la pensée de tant de rapports humiliants et inutiles. Qu'elle jappe donc tant qu'elle voudra, l'ignoble bête !

Excuses

Lorsque tu te seras persuadé comme moi de la vanité de tout et que tu songeras à me reprocher ta naissance, sache que jamais père ne fut plus honteux que le tien. Si alors je me suis réfugié dans la mort, ne crois pas que j'ai cédé à la lâcheté. Jusqu'à la fin, je me serai agrippé à ton ombre.

La vie éternelle

Nous sommes-nous assez moqués de la vie éternelle? Notre royaume était pleinement terrestre. Maintenant que s'amenuise le temps du répit, j'imagine pour nous un trépas commun. Mourir ensemble, nos corps côte à côte, comme si nos mains pouvaient encore se toucher dans un ailleurs.

Silences

Ses livres

Quand il parle de ses livres, il est magnifique. Il dispose des mots idoines, il n'appuie pas indûment. Un monstre d'orgueil, pensez-vous. S'il avait mis la même ferveur à fonder les bases d'une religion, de quelles monstruosités ne se serait-il pas rendu coupable ?

La plage

Elle n'était pas sublime, peut-être, cette jeune femme à demi nue croisée un après-midi de juillet sur la plage à Knokke ? Son corps effilé, ses formes pleines, le doux balancement de ses seins. Voilà l'image que vous retenez de la beauté, vous qui n'êtes plus qu'un vieillard qui a tout oublié.

La maison

Te souviens-tu de la joie que je ressentais la première fois que tu nous a accueillis ? J'étais jeune alors. Toi aussi. Le constructeur venait à peine de te terminer. Il nous semblait à tous deux que nous aurions une longue vie. Je suis vieux maintenant et toi, il t'arrive de demander grâce. Tes murs sont lézardés, tes fondations prennent l'eau. Crois-tu que notre aventure en valait la peine ? Je ne sais pas. D'ailleurs, est-ce que je songe à autre chose qu'aux rondes de l'infirmière. Pourquoi tarde-t-elle à ce point ? Un nouvel amoureux ?

Elle est morte

Louise est morte. Une bien triste nouvelle, vient-il de dire au téléphone. À peine a-t-il déposé le combiné qu'il se prend à sourire. Disparue, la femme avec qui il s'est conduit de façon ignoble. Elle l'a bien mérité, elle qui s'est moquée tant et plus de lui. Mais elle a des amies. Probablement toutes bavardes comme elle. Et vivantes. Il ne sera donc jamais libéré.

Envie de vivre

Depuis quelques jours me prend l'envie de vivre. Autour de moi, on semble croire qu'il est trop tard. Je marche péniblement, ma vue est si faible que je ne sors jamais à la nuit tombée. Les amis que j'ai fréquentés sont morts. Leurs enfants prétendent que j'ai bonne mine. Disaient-ils les mêmes mensonges à leurs parents ?

Prendre congé

Quand il a demandé à vous rencontrer, vous avez hésité. Tant d'années s'étaient écoulées depuis sa dernière visite. Il est devant vous, amaigri. Pourquoi sent-il le besoin de prendre congé ? Vous vous accommodiez fort bien d'un souvenir lointain.

Une confidente

Il y a trente ans, il déjeunait tous les midis avec cette femme qu'il n'a pas reconnue tout à l'heure. J'ai changé à ce point? a-t-elle demandé. Comment trouvait-il des choses à raconter à cette sotte? C'est pourtant à elle qu'il a révélé ses secrets les plus intimes. Tout à sa panique, il choisit de jouer la carte de la séduction. Même devant cette rombière, il parvient à faire la roue.

Ce que j'ai vécu

Impossible de sortir sans qu'un inconnu vous aborde. Sont-ce là vos lecteurs, ceux qui tiennent à vous raconter l'histoire de leur vie? À les entendre, vous en feriez un livre. Belle récompense pour votre travail acharné que ces bavardages sans intérêt. Ils ne savent donc pas que si vous écrivez, c'est faute d'avoir su vivre. Leurs expériences dont ils sont si fiers ne vous serviraient de rien. Vous savez depuis longtemps que votre écriture repose sur du vent.

Jeunesse

Ainsi donc, il a déjà eu l'âge de ces jeunes gens qui ont l'audace de faire monter dans leurs rutilants bolides d'éblouissantes déesses. Il se croyait perspicace, réfléchissant à la mort qui viendrait dans tellement d'années. Maintenant qu'elle s'approche, qu'il connaît même le mal qui le terrassera, il se demande s'il a vraiment déjà eu vingt ans.

Pudeur

Avec son habitude d'être impeccable vis-à-vis des femmes, de les défendre en toutes circonstances, il est parfois en butte à des situations impossibles. En ce moment précis, peut-il ne pas avouer à la si mignonne jeune personne qu'elle ne suscite en lui aucun désir ? Il la suivra dans une chambre mal décorée d'un appartement situé aux confins de la ville et se dévêtira sans hâte.

Ils écrivent

Qu'est-ce qu'ils ont tous à écrire ? S'ils se contentaient de vivre, imitant ainsi bon nombre de leurs concitoyens ? Mais quand donc cesseront-ils d'écrire ? Leurs livres, partout. De jeunes auteurs qui connaissent les espoirs que vous avez connus. Vous n'aurez donc jamais la paix ?

Lointaines contrées

C'était à l'époque où vous vous rendiez dans de lointaines contrées. De longs séjours parfois, dont vous aviez tendance à exagérer l'importance. Vous en rapportiez des objets qui, croyiez-vous, vous accompagneraient jusqu'à la mort. Cette statuette hindoue, tenez, n'est-ce pas qu'elle vous rappelle ces jours où vous avez cru échapper à une femme? Maintenant que vous souhaitez la rencontrer, cette évasive personne, que vous reste-t-il sinon cette reproduction bon marché de ce qui fut une déesse?

Un ignorant comme un autre

Quel âge a-t-il? Il est fascinant, cet enfant. Il y a longtemps qu'il parle, qu'il trouve les mots. Vous avez vu son sourire? Je me tais, je ne le verrai pas grandir.

La fête

Vous allez entrer dans un bar où un ami vous a invité à un vernissage. Qu'il soit bon ou mauvais peintre vous importe peu. Converser avec lui n'a jamais été un problème. Mais lorsque vous le voyez entouré de femmes splendides qui se penchent sur lui, le cajolent, vous décidez que non, ce n'est pas possible. Une autre soirée gâchée.

Bête en cage

L'enfant ne quitte pas la bête des yeux. Superbe, l'animal. La robe tachetée de jaune, le pas du fauve. Les barreaux de la cage paraissent familiers à l'enfant. Son père n'est pas loin qui cherche à l'entraîner.

Un vieux cabot

Comment s'appelait ce vieux cabot en qui vous aviez cru voir, il y a si longtemps, un modèle ? Vous l'aviez même attendu à la sortie d'une représentation. Il vous avait à peine regardé, avait prêté une oreille distraite aux propos que vous aviez tenus, vous, l'adolescent, hésitant et boutonneux. S'en était suivi un rendez-vous obtenu de haute lutte, qu'il n'avait pas respecté. Il est mort depuis longtemps, cette ordure. Mais, dites-moi, êtes-vous plus perspicace, cinquante ans plus tard? Maintenant vous passez votre temps avec des gourgandines qui vous préfèrent des jeunes gens pareils à ce mauvais comédien que vous aimiez tant.

Tant de lettres

Hier j'ai jeté les lettres que je lui avais envoyées. Des déclarations d'éblouissement. J'étais bavard à cette époque. Quand elle m'a tendu la liasse d'enveloppes, j'ai compris qu'elle me signifiait mon congé. Pourtant, ce matin, le téléphone a sonné. Je n'ai pas répondu. Je vais plutôt lui écrire. Je ne suis pas encore à court de serments.

Ainsi donc, vous avez aimé ma mère ?

Ainsi donc, vous avez aimé ma mère ? Grâce à vous, probablement, elle a cru à la vie. La joie que je lisais dans ses yeux quand vous annonciez votre visite. Je vous ai tellement détesté alors que je ne ressens plus devant le vieillard que vous êtes devenu qu'une incommensurable compassion.

L'architecte, c'est bien lui ?

D'où vient que l'architecte qui a dessiné les plans de ce gigantesque complexe hôtelier ne s'est même pas présenté pour les cérémonies qui en marquent l'inauguration ? Cette réalisation que le Ministre a qualifiée de magistrale ne le satisfait donc pas ? Pour l'heure, il aide son petit-fils à bâtir à grand-peine un château de cartes. Un mauvais geste et tout s'écroulera. Dans combien de minutes ?

Homme à tout faire

Un ouvrier tond la pelouse. Le bruit m'incommode. Pourquoi me suis-je réfugié dans cette maison de campagne ? Impossible d'y trouver le silence si ardemment recherché. Une sonnerie à la porte d'entrée. Comment s'appelle ce garçon ? Je lui dois combien ? Il a l'air triste. Il travaille trop ? Non, la mort de sa mère. Il éclate en sanglots. Je crois raisonnable de lui donner un pourboire exagéré. Il le refuse. Son air m'est insupportable.

Ami

Il venait chez moi, à toute heure de la nuit. Sans avertir la plupart du temps. Je vivais seul, rien ne me dérangeait. Parfois, il avait bu, souvent à cause d'une femme. Il est mort hier. Personne ne sonnera plus à ma porte.

Un livre, un seul

Dans cette pièce empoussiérée que je tâche d'éviter se trouve un livre que je crains d'ouvrir. Une femme me l'a offert. C'est en le lisant que j'ai appris que l'amour existait. Puisqu'elle s'est enfuie depuis si longtemps, que gagnerais-je à le relire ? Et puis le dos du bouquin a cédé, les pages ont jauni, la colle a séché, et je sais trop qu'il renferme des promesses mal tenues.

Non, mais je n'étais pas là ?

Je sais bien qu'il n'est pas possible que j'aie été présent le jour où mes parents m'ont conçu. Mon esprit est déréglé, je le concède, mais la nuit pourtant je me vois en rêve tenter d'empêcher mon père de s'approcher de la très jeune femme qu'était ma mère. Trop belle pour lui, trop belle pour que son corps s'ouvre et donne naissance à l'être torturé qui à bientôt quatre-vingts ans se lamente d'être né.

Jamais plus

Quelle belle soirée ! Auriez-vous pu souhaiter compagnons de travail plus affables ? Ils avaient leurs défauts, qui n'en a pas, de chic types vraiment. Ils se sont cotisés pour vous offrir un présent. Un bidule, du genre que l'on solde un peu partout. De bons diables, à coup sûr. Ils gagnent si peu, la vie est chère. À peine rendu à la maison, où vous attend une mégère, vous pensez à leur mesquinerie et à la chance qu'ils ont d'être des exploités du travail.

Étrangers

De toute évidence, l'homme n'est pas d'ici. Vêtu à la diable, il donne la main à une petite fille. Vous n'entendez pas bien sa question. Demande-t-il l'aumône ? Vous vous engouffrez dans un taxi. C'est alors que vous comprenez que l'inconnu vous signalait que votre serviette béait. Avez-vous laissé tomber un document important en ouvrant la portière ? Et ce chauffeur qui ne comprend pas qu'il doit s'arrêter !

Journal en mars

Je n'ai jamais tenu de journal. Les chroniques que j'écris depuis plus de quarante ans en tiennent lieu. À la demande de la direction de la revue Les Écrits, *je me suis toutefois livré à cet exercice en mars 1996.*

1er mars

Mes petites-filles me bouleversent. Quand elles viennent à la maison, je n'ai d'yeux que pour elles. Je donnerais tout pour qu'elles soient heureuses. Le bonheur ? Je ne sais pas au juste ce que c'est. Ni le leur ni le mien. Je me prends toutefois à espérer qu'elles conserveront, ces enfants, le plus longtemps possible la faculté d'émerveillement qui les possède à l'heure d'aujourd'hui. Elles deviendront des femmes. Je ne serai plus alors qu'un vieillard. C'est le cours des planètes qui le veut. Je ne vais quand même pas souhaiter qu'elles ne se transforment pas en d'éblouissantes jeunes femmes. J'ai moi aussi eu mes vingt ans, après tout. Qu'ils aient été gâchés doit bien dépendre un peu de moi, non ?

2 mars

Il y a des jours où on ne sortirait jamais du lit. Puisque rien ne sert à rien. On se lève quand même.

Dire qu'il se trouvera des gens pour vous trouver la mine triste. Il ne leur arrive donc jamais d'estimer que leurs prétentions ne sont que de vides attitudes ?

3 mars

Une visite à l'hôpital. Une préposée à l'admission poursuit une conversation d'ordre personnel. Il y est question d'assistés sociaux abusifs. Ils le sont à peu près tous, selon elle. S'apercevant de ma présence, elle n'en continue pas moins l'entretien. Comme je ne bouge pas, elle se décide à prendre congé de son interlocutrice. Je lui tends un formulaire. Elle ne tarde pas à me vilipender. Selon elle, je n'ai pas donné les détails pertinents au téléphone. Il me faudra revenir le lendemain matin. Et à jeun. Je lui représente en pure perte que j'aurais volontiers répondu aux questions nécessaires si on me les avait posées. Elle n'est plus intéressée, devient insolente. Je ne demande pas mon reste et quitte les lieux. Ma révolte fait long feu. Après tout, ce n'est peut-être que le début de la vieillesse. Aussi bien m'habituer aux attitudes insolentes. Me souvenir de ma mère et de ce crétin d'infirmier qui la tutoyait.

4 mars

Je n'ai jamais tenu de journal. Toutefois je rêvasse à longueur de journée, je ressasse mon passé sans arrêt. Parfois, j'écris une phrase, un mot pour ne pas oublier. J'en ferai une chronique, une nouvelle, un roman. Toute ma vie, je me suis comporté comme si le journal intime que j'écrirais me priverait d'un accès à la fiction. Il y a longtemps, très longtemps, il y avait aussi cette impossibilité d'écrire certaines choses, aveux que je refusais de me faire à moi-même. Je n'aimais pas l'individu que j'étais. Je me suis acclimaté à moi-même en quelque sorte. On s'habitue à tout et à tous.

5 mars

Je ne peux jamais pour bien longtemps porter un jugement négatif sur le monde qui m'entoure. Très rapidement je trouve des excuses à mes contemporains. Leurs manques, leurs couardises, j'en trouve trace en moi pour peu que j'examine ma torpeur. Médiocres, les autres ? Et toi donc !

6 mars

Il arrive de plus en plus qu'on s'adresse à moi

comme à un écrivain vieillissant. Bien sûr, je le prends plutôt mal. Il arrive que je me sente jeune, surtout lorsque les ennuis de santé ne m'importunent pas trop. Et puis, je suis toujours aussi peu sûr de moi. Je sais que dans trois ou quatre mois, je me mettrai à un roman qui me démontrera sans l'ombre d'un doute que je suis un débutant. Qu'importe que le novice se souvienne de certains échecs.

7 mars

Un lancement. Redoutable expérience pour les timorés dans mon genre. On se salue, on échange quelques mots. Rien de désagréable jusqu'au moment où je m'aperçois du manège d'un invité. Écrivain dont le prestige dépasse la qualité de ses productions, il se dirige d'office vers les personnalités qu'il convient à cette heure d'avoir dans ses relations. Je pars tôt, dégoûté. J'ai le cœur trop tendre.

8 mars

Retour à New York. La ville me fascine toujours. Je traque comme un insensé les vestiges de ce qu'elle a été vers 1952. J'y recherchais alors une influence du jazz, que je n'ai pas trouvée. Il y avait pourtant le *Birdland,* boîte nommée en l'honneur de Charlie

Parker. J'y étais allé, impressionné comme il n'est pas possible. J'ignorais alors que, plus de quarante ans plus tard, je serais cet homme aux cheveux blancs qui, en baskets, arpente Times Square comme un fantôme. Un heureux séjour quand même.

9 mars

J'ai écrit un livre dont ma mère était le centre. Combien de choses tues, inconsciemment ou non ? Aucune importance à vrai dire. Je ne conserve qu'une seule image de cette femme. Elle a vingt-cinq ans, je reviens de l'école. Pour l'heure du déjeuner. Le père est absent. Tous les deux, nous allons partager une boîte de soupe de tomates. L'émotion que j'ai ressentie, l'autre jour, quand j'ai appris que Brassens, en visite au Québec, aimait lui aussi ce potage en conserve. J'ai alors revu ma mère, pour moi toute la poésie du monde.

10 mars

J'ai déjà été un jeune auteur. L'épithète qu'on accolait au mot « auteur » m'énervait. Maintenant que je suis devenu un vieil auteur, je ne prise pas davantage l'adjectif que l'on joint à la désignation. Du chemin a été parcouru. Que m'en reste-t-il ? De vagues souvenirs, des déceptions, des déconvenues. Je préfère ne pas m'attarder à ces détails. J'ai voulu écrire, j'ai écrit. Rien ne compte au-delà. Je ne me plains de rien. Quand il m'arrive de publier, je ne peux m'empêcher de noter toutefois que le plaisir que j'ai à tenir le livre sorti des presses n'a rien à voir avec la plénitude (éphémère) que j'ai ressentie en 1963 à la publication de mon premier livre. Vieillir veut aussi dire que nos joies n'ont plus rien d'inédit. Tout s'est déjà passé. Aussi bien se dire que c'est bien ainsi.

11 mars

Depuis vingt ans peut-être, je rédige des chroniques. L'occupation est modeste. Il y a des façons plus évidentes d'être tenu pour un auteur important. Mais rien n'y fait, je ne peux résister à ce qui est pour moi un plaisir et une façon d'être. Je ne fais jamais de manières à propos de la difficulté que j'éprouverais à trouver des situations à exploiter, des points de vue. Tout me vient facilement. La difficulté — quand elle existe — vient de l'écriture. La plupart du temps, il faut effleurer les sujets, les aborder de façon oblique. Ou appuyer le trait. Tout, en tout cas, pour que la chronique soit littéraire. Des journalistes, il y en a bien assez. Mon orgueil. Le seul, j'espère : être un écrivain pour qui le quotidien n'est jamais trivial. Dans les petites choses de la vie, voir l'inusité, le détail qui fait chavirer, qui fait penser à des réalités troublantes. Ça ne les empêche pas, les réalités, d'être belles et émouvantes.

12 mars

Les lieux où on a habité. Mes parents déménageaient souvent. Je les ai imités un tout petit peu, quoique de façon nettement plus raisonnable. Il n'empêche qu'il me vient parfois le goût de louer une voiture et de faire en une journée le tour des logis, des appartements et des maisons que j'ai connus. Toutes ces demeures où j'avais une chambre, tous ces repaires où j'ai prétendu être chez moi. Saurais-je résister alors à la tentation de sonner à deux ou trois portes? On me répondrait, on accepterait de me laisser pénétrer dans des pièces où je ne reconnaîtrais rien. Serait-ce la seule façon efficace de me guérir de ces retours au passé qu'inlassablement je mijote? Pourtant convaincu de l'inintérêt de ces rabâchages, je retourne en esprit vers le modeste immeuble où j'ai expérimenté la misère d'être adolescent. Je sais bien que mes parents paraissaient y être heureux. Mais moi? Non, vraiment. Ce n'est certes pas là que je m'adresserais. Je me contenterais de regarder de loin. Tant mieux si un jeune homme qui me ressemble n'en franchissait pas le seuil.

13 mars

M'a-t-on assez dit jadis que j'étais trop sensible ? La remarque m'agaçait. J'avais l'impression qu'on voyait dans cette disposition de mon caractère une façon de me mettre à ma place. Trop sensible, les nerfs à fleur de peau. Il fallait donc me ménager. Maintenant que l'âge est venu, on a tendance à me tenir hors du coup pour d'autres raisons.

14 mars

Il y a environ trois ans, j'ai connu une période dépressive. Constants retours au passé, conscience aiguë du temps qui passe, frayeurs. Je ne trouvais d'apaisement que dans les promenades. Errances sans but. Plus rien ne m'intéressait, ni livres, ni disques, ni concerts. N'eussent été des obligations à la radio, je n'aurais pas écrit. Je ne me livrais au jeu de l'écriture qu'à la suite d'efforts répétés. Depuis quelques mois, j'ai retrouvé le plaisir qu'il y a à se retirer chez soi. La maison comme forteresse qui vous protège des maux venus de l'extérieur. L'image est de Buzzati. J'en fais mon miel. Pourtant, je devrais marcher et marcher. Tandis qu'il en est encore temps. Un jour viendra où je serai un vieillard poussif que l'on plaquera dans un fauteuil roulant. Une infirmière, que je trouverai superbe malgré tout, estimera que je suis un vieux rebut. Je l'aurai bien mérité.

15 mars

J'ai douze ans. Je suis étendu sur un canapé dans le séjour chez mes parents. À la radio, j'entends une chanson de Trenet : *Le Retour des saisons.* M'emplit alors une nostalgie qui ne me quittera jamais. Rien n'est aussi consolant et consternant à la fois que le retour des choses. Oui, elles reviennent, les saisons. Mais dans quel état vous retrouvent-elles ? Ils doivent être sublimes, les printemps, quand on les observe à quatre-vingt-quatre ans. Sublimes mais combien cruels. Mon père et ma mère, pourquoi vous êtes-vous aimés ?

16 mars

J'aime lire des biographies. Pas tellement les entreprises dites « à l'américaine », dans lesquelles un auteur méticuleux retrace à la petite journée la vie d'un écrivain. Qu'on m'épargne les notes de blanchisserie et les parties de jambes en l'air. Pas de psychologisme surtout. Et que l'on ne se sente pas tenu de faire long. Lecteur intéressé, je ne crois tout de même pas que le biographe le plus consciencieux puisse arriver à rendre compte de ce qu'est une vie. Tant de choses sont cachées. Et c'est tant mieux.

17 mars

Je dois avoir seize ans. Dix-sept peut-être. Ayant écrit un texte dramatique, je forme le projet de le soumettre à un comédien alors au faîte de sa renommée. Je fais le pied de grue à la porte de la station de radio qui l'emploie. Dès que je l'aperçois, je l'aborde. Ce que j'ai dit, je ne m'en souviens plus. Le manuscrit change de mains. Des semaines et des semaines d'attente, pas de nouvelles. À force d'insister, je récupère mon manuscrit. Aucune note de lecture, pas de lettre d'excuses. Je me suis révolté à l'époque. Plus de quarante ans après, je ne ressens plus pour cet acteur qu'un sentiment qui ressemble au mépris. Un petit homme vraiment. Je ne suis même pas heureux qu'il soit vite tombé dans l'oubli. Il n'y a pas à dire, j'avais mauvais goût, je manquais de jugement et je ne savais certes pas écrire des dialogues convenables.

18 mars

Un soir d'été vers 1938. Nous habitons un quartier ouvrier dont les rues sont mal éclairées. Mon père me met au défi d'aller seul chercher de la crème glacée. Il doit être neuf heures. Le marchand a pignon sur rue non loin d'une taverne d'où sortent parfois des clients fort éméchés. Mes parents m'en ont parlé, mais j'ai décidé de ne pas avoir peur. Il me semble pourtant qu'il y a des ombres qui me surveillent, que l'une d'elles va bondir. Je n'en mène pas large. Je fais l'emplette convenue, reviens sur mes pas. Tout aussi affolé. C'est alors que mon père, qui m'a surveillé à mon insu, décide de me faire sursauter. De ce jour m'est restée une appréhension marquée pour tout ce qui relève du canular. Je n'aime pas qu'on prenne les autres par surprise, que l'on profite d'une situation privilégiée pour dominer. Ceux qui ne parviennent pas à faire rire par d'autres moyens me paraissent pitoyables.

19 mars

Je dois me rendre à un lancement. Je suis seul. Arrivé à la porte du bar où doit se dérouler l'événement, j'apprends que j'ai une heure d'avance. Quel sentiment de libération : je pourrai rentrer chez moi. Pas question d'attendre. Pourtant, je suis triste. Je me sens exclu. Une fête se déroulera à laquelle je ne participerai pas. Je prends tout de suite la décision d'assister coûte que coûte au prochain lancement. Il est prévu pour la semaine suivante. Je m'y rends, m'y ennuie comme d'habitude. Mais au moins, je me suis mêlé à des gens qui n'ont rien d'hostile. Certains m'indiffèrent, je les indiffère tout autant. Il y a les autres — quelques-uns — que je retrouve avec plaisir et avec qui j'échange des phrases anodines. Il y aurait tant à dire. Mais pas dans cette atmosphère. Et on mourra dans la solitude.

20 mars

La mort, on en parle peu. Plus l'année de ma naissance s'éloigne, moins je me préoccupe de celle de ma mort. Un souhait qui n'a pas varié depuis longtemps : qu'elle survienne rapidement. Dans ma vingtaine, je croyais plutôt qu'il serait bon que ma disparition soit précédée d'une période de méditation. Je m'y serais préparé. Je crois savoir maintenant qu'on ne se prépare pas à l'inéluctable, qu'on se présente devant le néant nu comme un ver. Nos expériences? Elles ne comptent pas. Notre sagesse? Nulle. Et comme on ne s'attend pas à rencontrer son « Créateur », à quoi serviraient les bilans, les examens de conscience? Continuons comme si de rien n'était. Tant qu'il y aura la lecture, la musique, le vin, la beauté des choses et des êtres, il est déplacé de songer à l'inconnu.

21 mars

Il est peu de voyages dont je n'aie rapporté un souvenir. Douce habitude que je n'ai jamais regrettée. Sur ma table de travail, une médaille représentant les traits de Kafka. Je me la suis procurée à Lisbonne vers 1974. Il aurait suffi que je n'entre pas dans une librairie pour faire l'impasse sur ce petit objet sans valeur que je contemple si souvent et qui me soutient aux moments de doute. Les rayons de ma bibliothèque, les étagères sur lesquelles je range mes disques sont pleins de ces babioles. Rien de précieux. Sauf pour moi. Ces objets me font cortège.

22 mars

Je n'ai jamais compris qu'un écrivain parle de son « œuvre ». Ses livres, à la rigueur. Mais s'imaginer que ses romans franchiront l'épreuve du temps, qu'ils constituent un « corpus » comme on dit à l'université, voilà qui me paraît ridicule. Pour ce qui est de moi, je m'efforce d'être ému à la pensée qu'un lecteur choisisse un de mes livres un après-midi d'été plutôt que la *Chartreuse* ou *Madame Bovary.* Il me donne cette preuve de confiance. Tant mieux si je ne le déçois pas trop. Mon œuvre ? J'ignore tout de cette éventuelle réalité. Des livres, oui, mais que j'ai depuis longtemps oubliés. Une seule vérité. Je voulais écrire, j'ai écrit.

23 mars

Plus de trente ans que mon père est mort. J'ai depuis longtemps fait la paix avec lui. Certains jours, j'en deviens même un peu sot. Je me mets à regretter des attitudes intransigeantes que j'ai adoptées. Avec un petit effort, je me serais rapproché. La glace aurait été rompue. Je m'attendris. C'est à ce moment que me reviennent en mémoire des souvenirs. Non, jamais il ne sera question d'accepter certaines choses. Il a été celui qui domine de façon abusive, qui écrase. J'en porte encore les stigmates. Certes, ce n'est pas une raison pour lui en vouloir. Mais lui donner un *satisfecit,* jamais.

24 mars

J'ai toujours été fasciné par les femmes. Leur beauté, comment ne pas en être bouleversé ? Mais aussi leur façon de se comporter, de se mouvoir, de réagir, de sourire. Toujours en moi également le désir de leur plaire en toutes circonstances. Faire la cour ? Je n'ai jamais su. Ni même souhaité posséder cette science. Plaire, oui certes. L'âge venant, que me reste-t-il sinon une fascination mêlée de tristesse ? Je me sens de plus en plus en dehors du coup. Je peux continuer d'être observateur, mais il ne faut pas insister. On me jugerait. Tranquillement, sans faire de bruit, on se dirige vers l'empire du silence. Avec en tête ce qui ressemble à du désir.

25 mars

L'homme n'a pas encore quarante ans. Depuis quelques années, il nous rend le service de déblayer l'hiver notre entrée de porte. Il y a trois ans peut-être, il nous avait présenté sa femme et leur enfant. Un nouveau-né. Après quinze ans de vie commune, ils avaient décidé d'avoir une progéniture. L'an dernier, sa compagne est morte de leucémie. Quand il m'a annoncé la nouvelle, il avait l'œil humide. J'ai balbutié des sottises. Je me souvenais trop d'un couple qui donnait tous les signes de l'amour. Je me suis tout à coup senti coupable d'être vivant.

26 mars

J'ai longtemps pensé qu'un ami était quelqu'un que je pourrais déranger au moindre signe de désarroi. Je me sentais tout aussi disponible. La trentaine venue, je me suis rendu compte que les obligations de la vie, les habitudes, les durcissements inévitables rendaient plus improbables les démarches insolites. Un tel supporterait une fois ou deux d'être tiré du lit en pleine nuit, mais qu'en penserait sa compagne ? Souhaiterais-je vider mon compte en banque pour aider un ami dans la dèche? Alors on se dirige vers l'inéluctable en étant parcimonieux. On demande: « Comment ça va? » Et on craint trop souvent que la réponse ne soit trop complexe. On sait si bien que rien ne va, que rien ne pourra jamais aller, pourquoi continuer à jouer la comédie? Pourtant on sait qu'on continue d'être bercé par un sentiment profond d'amitié. On est moins disponible, voilà tout. Notre propre désespoir a parfois de ces exigences.

27 mars

Je ne me suis pas privé dans le passé d'évoquer les misères de la société québécoise. Il fut même un temps — court — où je ne voyais qu'elles. J'en suis à m'interdire la moindre réserve sur mes compatriotes tant il est devenu courant de nous vilipender. À entendre la rumeur, nous serions racistes, xénophobes, mauvais gestionnaires, mal dégrossis. Le premier journaliste venu se pose en justicier. On pratique l'autoflagellation avec une constance soutenue. Que va-t-on penser de nous? se demande-t-on sans cesse. Est-il question plus inutile?

28 mars

J'ai dû comparaître devant des jeunes cégépiens participant à un marathon d'écriture. J'étais bien embêté. Leur parler comme si j'avais leur âge ? Foutaise. Jouer les vieillards condescendants ? Foutaise également. Alors, j'ai bafouillé comme on bafouille à mon âge, ému de sentir ces regards illuminés. J'ai dû évoquer le plaisir qu'il y a à écrire lorsqu'on a perdu toute conscience du temps. Ai-je trop insisté sur l'impression que j'ai, devant tout roman à entreprendre, d'être un débutant ? Comment écrit-on ? Pourquoi écrit-on ? Questions sans réponse mais qui m'ont permis cet après-midi-là d'être serein. Ce qui a été l'une de mes passions, l'écrit, d'autres personnes, plus jeunes, autres que l'homme timoré que j'ai trop longtemps été, s'en chargeraient. Elles produiraient des œuvres qui deviendraient peut-être le reflet de leur génération. Vite ! qu'on m'appelle un taxi pour que je puisse songer à loisir au réconfort qu'apporte parfois son destin d'écrivain vieillissant.

29 mars

Je n'ai pas le tutoiement facile. Il m'arrive parfois de le déplorer. Il n'est pas toujours souhaitable de donner l'impression qu'on se retient, qu'on est sur ses gardes. Surtout si la personne qui vous fait face a retenu votre attention par ce qui s'appelle l'intelligence.

30 mars

Mon travail m'amène à fréquenter la tour de Radio-Canada. Il arrive de plus en plus souvent qu'au détour d'un corridor je fasse la rencontre d'un ex-collègue qui m'apprend qu'il prend sa retraite. Parfois, on me dit qu'un tel est mort de cancer, qu'un autre croupit dans l'ennui. Pourtant, je dois l'avouer, ce ne sont pas tant les humains qui me préoccupent la plupart du temps que les changements que l'on apporte à la disposition des lieux ou l'instauration de nouvelles politiques. Il me semble assister à une évolution dont je suis exclu. Viendra un temps (proche) où je ne reconnaîtrai plus rien. Il sera temps alors de rester chez moi.

31 mars

Quand on me parle d'*Un après-midi de septembre,* je revois immanquablement les jours sombres pendant lesquels j'ai travaillé à cette évocation de la mort de ma mère. Puissé-je ne jamais connaître à nouveau cette désespérance-là ! Était-ce ma pauvre vieille que je pleurais ou ce qui était advenu au pitoyable fils que j'étais ? Plus violent, je me serais suicidé. Mais je suis de la race des faux doux, de ceux qui se tortureront jusqu'à la fin pour connaître une ou deux passions supplémentaires. Peut-être. Sinon, ce sera la vie végétative, remplie de souvenirs douloureux.

Prétextes

En 1984, Jean-Guy Pilon, alors directeur du service des émissions culturelles à la radio de Radio-Canada, eut l'idée d'une série intitulée Préface pour la radio. *Il s'agissait de demander à un écrivain de rédiger un avant-propos à une édition hypothétique de ses œuvres complètes.*

J'ai accepté sans hésitation de jouer le jeu. Bien conscient justement qu'il s'agissait d'un jeu. Si les avis que j'exprime dans ce texte sont vraiment miens, ils n'en sont pas moins parfois poussés à un certain paroxysme. J'affirme par exemple que les entretiens devant public me font problème. Pourtant, quelques années plus tard, j'acceptais de mener des rencontres de ce type au Salon du livre de Montréal. Il n'empêche que j'ai toujours estimé que l'activité de l'écrivain devait se dérouler dans le silence de son cabinet de travail. Tout le reste n'étant qu'accessoire.

« Je n'écris que pour cent lecteurs, et de ces êtres malheureux, aimables, charmants, point moraux, auxquels je voudrais plaire. » Cette phrase de Stendhal tirée de *La Vie d'Henry Brulard,* que j'ai lue et notée à vingt ans, n'a cessé de guider mon écriture. Je m'empresse d'ajouter que je ne voulais pas tant plaire à ces lecteurs anonymes que leur lancer un appel, leur faire un signe discret. Notre détresse en serait comme atténuée. Je me souciais assez peu de les connaître, de leur parler. Qu'ils me témoignent parfois leur satisfaction a toujours été pour moi source de grande émotion. Il m'arrive d'être bouleversé par une simple remarque, une confidence.

Je n'ai pas eu de carrière d'écrivain. N'ayant pas voulu être le commis voyageur de mes livres, je me suis autant que possible abstenu de participer à des rencontres publiques, à des séances de signature. Lire ma prose devant un auditoire me paraîtrait déplacé. Ce faisant, j'aurais l'impression de me prendre trop au sérieux. Il y a trois ou quatre ans, on m'avait convaincu d'interviewer des écrivains dans une salle où se réunissaient une centaine de personnes. Assez souvent il m'est arrivé d'être étonné par les attitudes qu'avaient les écrivains avec qui je m'entretenais. Il me semblait qu'ils en faisaient toujours trop. Qu'ils se donnaient en spectacle.

Un travail fort convenablement rémunéré et régulier m'a très rapidement mis à l'abri des soucis d'ordre pécuniaire. Une crainte grandissante des foules, petites ou non, ne me porte pas à rechercher les applaudissements trop nourris. Le murmure, en règle générale favorable, qui a salué l'apparition de mes livres, m'a suffi. Je ne parle pas des débuts qui n'ont pas été faciles. Mais pourquoi me serais-je épuisé à jouer les écrivains de profession ? Le regard ironique que je porte sans cesse sur mes attitudes d'écrivain m'interdit une trop grande condescendance à cet égard. Le milieu québécois est si restreint de toute manière qu'il faut être bien naïf pour être tenté de perdre son naturel en le conquérant.

Pareillement, je me suis tenu loin des colloques littéraires, des palabres universitaires. Je n'ai jamais compris qu'on puisse souhaiter se rencontrer à cinquante pour discuter de sujets souvent très vagues. Plus justement, je devrais dire que je n'y étais pas à ma place. Les idées ne m'ont pas tellement intéressé ; seule me passionnait la façon de les exprimer. Je n'aime pas tant le commentaire que les œuvres qui l'ont suscité.

Ce que j'ai fait toute ma vie a été d'écrire. Une occupation qui a eu ses bons moments. C'est surtout des autres que les romanciers parlent volontiers. Ils ont beaucoup insisté, me semble-t-il, sur le calvaire de la page blanche. Comme si les affres de la création tant décrites par Gustave Flaubert sacralisaient à tout jamais l'écriture. Les bons moments que je viens d'évoquer, je les ai connus dès qu'une certaine confiance en mes moyens m'était donnée. Pendant des mois j'avais douté, je m'étais persuadé de l'inutilité de tout effort, puis tout à coup je me mettais à taper à la machine comme un forcené. J'avais un livre en train, je n'aurais plus que ce souci en tête pendant des mois. J'avais la permission d'être angoissé, je voyais monter en moi une ferveur qui me grisait. Vers la trentaine, j'ai été, je crois, un véritable obsédé. Il me semblait que le temps fuyait à une vitesse folle, que je n'aurais jamais le loisir d'aller au bout de mon besoin de création. En somme je voyais trop loin. J'en étais hors d'équilibre. Une certaine modestie m'est venue sur le tard. J'ai su qu'un livre s'écrit ailleurs que devant une feuille blanche, qu'on peut parfois travailler avec plus grand avantage en marchant ou en regardant le ciel. Ce sont là des évidences, mais qui ne me sont pas venues facilement. La mauvaise conscience — la peur morbide de perdre son temps si on n'écrit pas — avait pour moi une importance qu'elle n'a plus. Je supporte avec une belle inconscience de ne rien faire. Rien du tout.

Pourquoi me dépêcher ? Qui m'attend ? Pourquoi me hâter puisque les années, les jours vont plus vite que moi ? De toute manière, il ne faut jamais trop écrire. Ce sont là des propos d'homme vieillissant, mais qu'y puis-je ?

Lorsque Jacques Chardonne a accepté de réunir ses œuvres complètes, il s'est livré à une véritable refonte de ses livres. Son travail a consisté à élaguer, à simplifier le dessin de ses romans et de ses chroniques. Je n'ai pas à juger de la pertinence d'un tel parti pris. Il m'aurait été impossible cependant de l'imiter. Je ne me vois tout simplement pas relire mes livres un crayon et une gomme à la main. Comment refaire quinze ans après un cheminement ? Je n'agis pas autrement dans le cas des traductions qui sont faites de mes livres. Après m'être assuré de la qualité du traducteur, vogue la galère ! Ce qui est le passé doit rester le passé. Comment puis-je, sans être atteint de vertige, me pencher sur l'homme de quarante ans que j'ai été ? J'ai changé, mes livres sont une étape de ma vie. Je ne crois pas être modeste pour autant. Je ne suis tout simplement plus intéressé à un livre dès que j'ai donné le bon à tirer. Quant à ce qui arrive par la suite, interviews, recensions critiques, commentaires de vive voix, ce n'est qu'un mauvais moment à passer. Si j'en avais les moyens, je quitterais le pays dès la parution d'un roman que j'ai écrit. Attitude de fuite, j'en conviens, mais je n'ai pas pour autant l'intention de m'amender. Le doute ne me quittera jamais, j'ai cessé depuis longtemps de tenter de le combattre. Se dépêcher de tout oublier pour passer à autre chose… ou à rien.

Pourquoi ai-je succombé à la tentation des œuvres complètes ? Je ne le sais que trop bien. Le désir de rejoindre de nouveaux lecteurs, le goût du risque, un immense orgueil. Il faut avouer que l'expression « œuvres complètes » a du panache. On regarde autour de soi dans les rayons de sa bibliothèque, et on se trouve en bonne compagnie. On songe aux plus grands, Anton Tchekhov, Franz Kafka, Saint-Simon. Pendant quelques minutes, on a même la grosse tête. On sait bien que ces grands écrivains nous écrasent de leur génie, mais il n'empêche… Quand l'euphorie cède la place au rêve tamisé puis au réalisme, on n'a plus que l'ironie comme seule défense.

Pourquoi réunir ses œuvres ? N'est-ce pas là se livrer pieds et poings liés aux détracteurs ? Moi surtout, qui ai tout fait pour ne jamais jouer à l'écrivain, est-ce que je mérite tant d'honneur ? N'ai-je pas cent fois répété que je n'ai que repris le même livre depuis mes débuts ? Trouvera-t-on intérêt à ce rabâchage incessant ? Je pose la question sans trop d'espoir, mais je souhaite que ces romans que j'ai signés renferment plus que des redites. Les confessions maquillées qui jalonnent mes livres doivent bien avoir un certain ton. Il me semble en effet que j'ai gardé depuis le premier livre paru en 1963 une uniformité dans la démarche. Tant mieux si j'ai acquis, chemin faisant, une aisance que je n'avais pas. J'ai été depuis les débuts cet écrivain intimiste et pourtant violent, tout près du « je » mais trouvant dans les « il » des voies de traverse utiles. Il m'arrive de croire qu'on s'intéressera à cette succession de romans, de nouvelles et de chroniques, qu'on y discernera une voix qui n'est pas toujours insignifiante. Je ne demande que cela. En insistant un tout petit peu.

Si j'ai tenu à rédiger moi-même cette préface, c'est que je n'ai pas osé en confier la tâche à quelqu'un d'autre. Il doit bien se trouver quelque universitaire ou quelque critique qui aurait accepté l'invitation. En telle occurrence, est-ce que je souhaiterais me prêter à de longues séances d'entretien avec mon préfacier ? Est-ce que je pourrais définir devant lui avec patience et pertinence mes intentions littéraires ? Pourquoi ai-je écrit telle phrase, ai-je toujours eu les mêmes idées sur le bonheur et l'amour ? Je le dis tout net, une telle éventualité m'effraierait. Je ne veux donner à mes livres que le temps qu'il faut pour les imaginer et les écrire. Après, mes livres ne m'intéressent pas. Le commentaire, la glose, ce ne sont pour moi que fariboles. Supposons que l'universitaire ou le spécialiste en question connaisse bien mes romans, qu'il ait avec eux certaines affinités et qu'il comprenne mon désir de m'isoler. Toutes ces conditions réunies, il est évident que je ne lirais son introduction que du bout des yeux dans le seul but de me rassurer. Pour le reste, je n'ai aucune vanité littéraire.

Les bonnes critiques, les recensions favorables ne m'ont jamais ravi autant que les avis contraires m'ont chagriné. Ce qui m'a manqué, et je le dis le plus simplement du monde, c'est d'être lu et commenté pour des raisons que j'estimais valables. Que me vaut une recension bienveillante d'un inconnu qui ne détecte pas les raisons mêmes de mes raisons de vivre et d'écrire ? Rien si ce n'est que de satisfaire à ma vanité d'écrivain. Ces joies sont très éphémères. « Je n'écris que pour cent lecteurs », dit Stendhal. Quel écrivain véritable peut prétendre à une plus vaste audience ? Que le livre soit tiré à cent mille exemplaires ou plus modestement à trois mille, il ne trouvera que peu de véritables lecteurs. Les miens, je les souhaiterais imprégnés de tendresse, de brio, d'ironie, de finesse, de culture. Je les imagine plus volontiers portés vers une mélancolie maîtrisée, aimant l'amour même s'il est irréalisable, préférant être blessés plutôt que de blesser eux-mêmes. Vous voyez que je suis exigeant et que je ne me contente pas du premier venu. Et pourtant, arrive-t-il, ce premier venu, et me manifeste-t-il son contentement de me lire, que me voici rapidement ému, étonné qu'on trouve plaisir à ces contes un peu désespérés qui sont nés dans ma salle de travail. Au lecteur de mes livres, je n'ai jamais su dire que de vagues remerciements.

Étonné du fond de ma solitude d'avoir trouvé quelqu'un qui consente à m'écouter. De ce petit troupeau d'anonymes me parviennent parfois des échos. Des femmes très souvent m'écrivent. Je ne crois pas exagérer en avouant que je suis chaque fois bouleversé. Étonné encore une fois, ravi, flatté, mais en même temps inquiet. Cette personne qui se manifeste, qui est peut-être un peu semblable à moi, menacerait-elle de m'envahir ? N'ai-je pas tous les amis qu'il me faut ? Ne découvrira-t-elle pas, en s'approchant de moi, toutes mes failles, mes manques ? C'est pour elle que j'ai écrit, mais ai-je bien voulu entendre de si près son appel ?

Mais justement, est-ce que j'écris pour les autres ? L'acte d'écrire est égoïste, mais je sais que si j'avais laissé mes écrits dans un tiroir, il y aurait belle lurette que je me tairais. Je l'ai dit tout à l'heure, je n'ai jamais cherché à agrandir le cercle de mes lecteurs. Très tôt j'ai su que ceux qui me liraient seraient peu nombreux. Ce que j'avais à raconter, que j'ai raconté de la façon dont j'étais capable, ne pouvait convenir au grand nombre. Qu'ai-je voulu décrire en définitive, sinon la précarité de tout, la difficulté de l'amour, l'angoisse de la vie et de la mort ? Ceux qui n'ont pas cette sensibilité ne me suivent pas et se passionnent pour des activités qui me laissent de glace. Ou encore pour des œuvres littéraires qui font place à l'optimisme. Dès que je m'interroge avec insistance sur les raisons qui m'ont poussé à écrire, je m'aperçois que c'est l'insatisfaction devant la vie qui a été le principal moteur de mon écriture. Ce n'était pas tellement que j'aimais écrire, mais que je n'aimais pas ne pas écrire. C'était ma façon de me distraire de la solitude essentielle. Pendant que mes semblables se tournaient vers le vol à voile ou les autos de sport, j'écrivais. Je n'ignorais pas que l'effort serait souvent inutile, que je ne parviendrais qu'à sauvegarder quelques lignes au bout de plusieurs heures d'effort. Plus j'avançais dans cette voie, plus me guidait un sens de la dérision. Je me voyais écrire. J'apprenais petit à petit le sens de la relativité des choses. Il y a loin de l'adolescent de dix-huit ans qui voulait réussir par la littérature au quinquagénaire qui écrit parce qu'il ne sait rien faire d'autre.

Depuis un an pourtant, je n'écris pas. Il n'est pas interdit de penser que je m'y remettrai un jour. Dans mes cartons, j'ai un synopsis, une esquisse de personnages, un titre qui me convient. Toutes les conditions sont réunies, sauf le désir de plonger. On jurerait que la mauvaise conscience qui s'emparait de moi chaque fois que je désertais ma table de travail m'a quitté à tout jamais. J'aime de plus en plus rêver. En cela je ne crois pas céder à cet « à quoi bon ? » qui a dicté très souvent ma conduite tout au long de ma vie. Je pense que l'écriture est la moins blâmable des illusions que j'ai entretenues. Un matin, j'imagine, me prendra une nouvelle fringale d'écriture. Je travaillerai alors furieusement comme si le sort du monde devait en dépendre. Si ce matin n'arrivait jamais, je ne crois pas que je serais tellement triste. Mes livres ne sont pas parfaits. Loin de là. Nul ne le sait autant que moi. J'ai toutefois la certitude de les avoir écrits honnêtement. Je n'ai jamais cherché à tricher. Ne cédant à aucune mode, j'ai décrit à voix basse ma vision du monde. On m'accordera peut-être la réputation d'un écrivain buté qui n'a fait aucune concession. Cette intransigeance était la seule voie qui s'offrait à moi. Ni le pittoresque ni les audaces de forme ni les complaisances linguistiques ne m'intéressaient. Je n'ai pas eu à lutter contre le moindre désir d'être à la mode. Des naïvetés, j'en ai bien eu quelques-unes. Je n'aurais pas détesté par exemple qu'un de mes livres parût en France. Un seul. Je ne parle pas d'un succès remarqué, célébré. Une simple parution. À cause du symbole. Un symbole qui n'a d'importance que pour moi. L'adolescent qui a découvert la littérature en 1950 était fasciné par la France des lettres. Cela ne s'est pas produit. Il n'y a pas de quoi en faire un drame. Et puisque je n'ai pas pris d'assaut les maisons d'édition parisiennes…

Combien d'années d'écriture me reste-t-il ? C'est ainsi que je mesurais mon existence jadis. C'était elle, l'écriture, qui était l'aune. Tout a bien changé. Je ne veux plus être le bourreau de moi-même. Jusqu'à la fin de mes jours, j'imagine, j'aurai la manie de prendre des notes, je n'écouterai pas les autres tout à fait, je ne converserai pas naturellement avec mes semblables. Je penserai toujours à un récit ou à une nouvelle que je pourrais écrire à partir d'un regard ou d'un sourire. Tant mieux si l'écrit qui résulte de cette dispersion n'est pas un roman. Un roman met des mois et des années à prendre forme, et je souhaite vivre un peu, rêver, méditer, perdre mon temps. Non, je ne suis pas sûr de souhaiter refaire l'expérience de ces livres exténuants. De toute manière, le vieil homme que je deviendrai bientôt aura tout intérêt à être bref. Des nouvelles donc, des chroniques, des textes proches du journal intime. Cela suffira à m'occuper et ne dérangera pas trop les générations montantes. Les jeunes ont tout à fait raison de se détourner de nos chimères. Ils ont les leurs.

Je ne voudrais pas terminer ce texte sur une note trop désespérée. Je ne suis pas un homme résigné. J'oserais même dire que je suis habité par la sérénité. Qu'est-ce qui peut m'arriver de si terrible puisque j'ai accepté ma mort ? Chaque jour m'est une joie. Qu'on ne souffre pas trop à cause de moi, je n'en demande pas plus. « Avec l'âge, écrit Émile Cioran, ce n'est pas tant nos facultés intellectuelles qui diminuent que cette force de désespérer dont, jeunes, nous ne savions apprécier le charme ni le ridicule. »

J'ai aimé écrire, j'ai écrit. De quoi me plaindrais-je ? Que j'aie eu très souvent l'impression d'écrire dans la plus opaque des noirceurs n'est pas bien grave. Il existe de bien plus tristes destins. Bien que l'écriture ne m'ait procuré que très peu de joie, je tiens plus que jamais à ces petits bonheurs. Les maîtres qui m'ont guidé, qui m'ont soutenu depuis les débuts, m'ont montré pour toujours la beauté de la prose française. Ce sont eux que j'ai tenté d'imiter maladroitement au long de ces années. Au fond de moi existait toujours le désir qu'une phrase ou deux que j'aurais écrites puissent ne pas périr avant ma propre mort. C'est là mon orgueil.

Qu'importe le reste ? Plus j'avance en âge, plus je crois que le vieil écrivain doit se faire rare. Le monde qui prend naissance autour de lui lui est de plus en plus étranger. Les avis qu'il pourrait émettre sur son déroulement n'ont pas d'intérêt pour les passionnés de la vingtaine. Je suis facilement convaincu d'agir avec prudence désormais. Il ne faut pas abuser des bonnes choses. À quoi rimerait d'ajouter trop de livres à ceux que j'ai déjà écrits ? À quoi servent ces amas de papier ?

Pourquoi ai-je écrit cette préface, sinon pour me justifier une fois de plus. Tout au long de ces années d'écriture, qu'ai-je fait d'autre ? Ai-je vraiment cessé de tenter de me faire pardonner mon existence ? Malcolm Lowry, dans sa préface à l'édition française d'*Au-dessous du volcan*, écrit : « J'aime les préfaces. Je les lis. Parfois je ne vais pas plus avant, et il est possible qu'ici, vous non plus n'alliez pas plus avant… Toutefois, lecteur, ne considérez pas ces pages comme un affront à votre intelligence. Elles prouvent plutôt que, par endroits, l'auteur interroge la sienne. »

Je ne m'en cache pas, comme Malcolm Lowry, je souhaite que vous alliez un peu au-delà de cette humble préface. C'est plutôt aux plus jeunes d'entre vous que je m'adresse. N'ayant jamais suivi les conseils qu'on me donnait, je ne suis pas tenté d'en prodiguer à mes cadets. Il n'empêche que tout naturellement je songe à ceux qui verront des jours que je ne verrai pas. Jeunes gens qui vous apprêtez à lire quelques-unes des pages qui forment ce monument que j'ai élevé si patiemment à mon orgueil, soyez conciliants, si vous le pouvez. Ces pages, trop nombreuses sûrement, ne sont après tout que l'expression d'une détresse qui à certains moments m'a paru insurmontable. Je n'étais pas submergé par ce désarroi, puisque j'ai pu le décrire. Il est arrivé qu'on me reproche de me cantonner dans des zones grises, que le soleil éclairait rarement. Oui, jeunes gens, feuilletez au hasard, vous trouverez peut-être un mot, une phrase, un paragraphe qui ne vous laissera pas indifférents. Je n'aurai pas perdu mon temps.

Je viens de vous confier mon peu d'attrait pour les conseils — j'abhorre les attitudes de protection, d'autorité — je ne peux pourtant me retenir de souhaiter aux écrivains qui viendront après moi de rechercher avant tout l'indépendance. Sans elle, l'écriture est peu de choses. À suivre les modes, à courir les honneurs, on s'épuise rapidement. La critique est à la fois importante et vaine. Elle peut vous soutenir, mais ne vous attendez pas à ce qu'elle le fasse. C'est un cadeau qu'on n'est pas tenu de vous offrir. Que votre orgueil soit flatté, rien de plus normal, mais ne vous attardez pas à ces vétilles. Si vous le pouvez, armez-vous contre les incompréhensions qui viendront, contre la bêtise qui n'est jamais loin. Mais surtout, jeunes gens, ne modifiez jamais la route que vous vous étiez tracée. Allez sans hâte, à votre allure. Votre opiniâtreté viendra à bout de tout. N'allez pas essayer de satisfaire des girouettes agitées par la mode, la sottise ou l'intérêt.

Voilà ce que je voulais ajouter aux livres que j'ai écrits. Peut-être aurais-je dû laisser mes pauvres histoires se défendre toutes seules. Je suis un bavard intarissable. Je n'ai même pas honte de ce verbiage. Je suis de plus en plus persuadé que toute écriture est impudique.

Note

Stupeurs a paru pour la première fois en 1979; c'était le premier titre publié par les défuntes Éditions du Sentier, fondées à Montréal par Gilles Archambault, Jacques Brault et François Ricard; les textes y étaient accompagnés de monotypes de Jacques Brault. Une première version de *Journal en mars* a été publiée en août 1996 dans le numéro 87 des *Écrits du Canada français*, et *Prétextes* a paru sous le titre « Préface pour la radio » dans la revue *Voix et Images*, numéro 92, hiver 2006. *Silences* est inédit.

Table des matières

MISE EN PAGES ET TYPOGRAPHIE :
LES ÉDITIONS DU BORÉAL

ACHEVÉ D'IMPRIMER EN SEPTEMBRE 2007
SUR LES PRESSES DE L'IMPRIMERIE GAUVIN
À GATINEAU (QUÉBEC).